Charles Hirsch
L'ARBRE

Collection
Les Symboles
dirigée par Michel Random

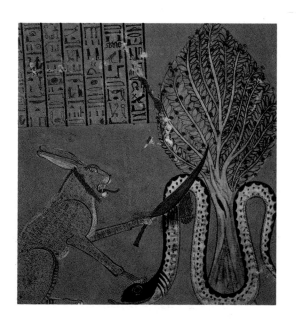

Editions du Félin

© by Editions du Félin, 10 rue La Vacquerie 75011 Paris

ISSN : 0987-7789. ISBN : 2-86645-034-5

© Fabrice Balossini/Random : 84. Bibliothèque Estense, Modène : p. 61. Bibliothèque municipale, Troyes : p. 74. Coll. Michel Random : pp. 5, 9, 36, 41, 49, 56 h, 56 b, 57, 60 b, 62 b, 63, 73, 85, 87, 90, 93, 94, 99, 101, 102, 105. Luc Dietrich : p. 58. Fond Gabriel Millet, Sorbonne : pp. 17, 45. Hans Fuchs/Random : pp. 78-79. Georges Hadjo : p. 91. Rudolf Hausner : pp. 88-89. Mati Klarwein : pp. 68-69. Moreh : pp. 15, 22-23, 75, 81. Musée du Louvre : p. 40. Musée du Prado : pp. 26, 30-31, 67. Michel Random : pp. 2-3, 7, 10-11, 13, 20, 21, 24, 28, 29, 33, 34-35, 37, 28, 39, 42, 43, 44, 47, 52, 53, 54, 55, 59, 60 h, 62, 70, 71, 72, 76, 77, 80, 92 h, 92 b, 95 h, 95 b, 96-97, 98, 100, 104-105, 106, 107, 108. Scala : pp. 48, 50-51. F. Schwartz : p. 64. G.W. Sutphin : p. 18. Zodiaque : pp. 14, 25, 66, 83, 103.

SOMMAIRE

Introduction *par Michel Random* 8

L'arbre de vie 14

Le jardin d'Eden 16

Le culte de l'arbre ancêtre 24

L'arbre cosmique 34

L'arbre et la croix 43

L'arbre de la connaissance du bien et du mal 48

L'arbre dans la tradition juive 69

L'arbre inversé 75

L'arbre du temps 86

L'arbre, l'alchimie et l'immortalité 99

Introduction
ARBRE COSMIQUE
MON FRÈRE

L'arbre, dans sa verticalité, est le lieu sacré où le ciel s'enracine à la terre. Sa magie est d'abord en nous comme une question : quelle est notre puissance de ciel, quelle est notre puissance d'enracinement, c'est-à-dire de présence à ce qui est ?

La perception visible de l'arbre répond à la perception de son mystère en nous. Parce qu'il participe du visible et de l'invisible, il est une question éternelle. Sa fragilité et sa puissance sont la nôtre. Etre comme un arbre, être fort comme un chêne, être dans la cîme et dans la racine, épouser son tronc, ses racines, ses feuilles, autant d'invitations à épouser notre corps, notre énergie verticale, nos pensées comme des feuilles innombrables, notre destin soudé dans une seule vie et pourtant divergent en mille branches.

Ainsi je ne puis échapper à l'arbre pas plus que je ne puis échapper à moi-même.

Si l'arbre est mon reflet, c'est qu'il me ressemble dans sa diversité la plus extrême. Ses nœuds sont les miens, c'est-à-dire les attachements et les désirs qui me nouent littéralement à cette planète : comme si l'un de mes destins était de comprendre précisément ce qu'il y a d'étrange et d'inexprimable dans mes enracinements.

Et de même quand j'épouse chaque partie de l'arbre, c'est une partie de moi qui se met à vivre. Suis-je capable de vibrer sous le vent, de me courber dans la tempête, de résister sans être brisé ? Suis-je capable d'entendre ce que dit la vibration du ciel et de la terre, d'associer les énergies qui montent et descendent, suis-je capable de tenir sans être comme un fût droit et majestueux ?

Cet arbre, mon frère, le voici doué de toutes les connaissances, enrichi par tous les symboles. A aucun moment je ne puis me dissocier de son aventure céleste et terrestre. Que je le veuille ou non, je suis cet arbre de vie. Je suis la vie dans toutes ses dimensions, et cet arbre mon frère, est comme moi un prodigieux vivant. Il

inspire la force et la protection, l'amour et la mort, il est fort ou blessé, droit ou tordu, libre ou façonné par la main de l'homme.

Et sans cesse il va son chemin, cet arbre du destin, à la fois vivant et vécu, mystère de la terre, du lieu, de l'espèce, de tout ce qui nous porte à être nous-mêmes et plus que nous-mêmes à l'intérieur de ce destin.

L'arbre, comme l'homme, doit accomplir sa forme, devenir une entité puissante et durable. Au bout de plusieurs siècles, de tels arbres au tronc immense multiplient leurs branches comme une infinité de troncs et leur feuillage embrasse l'étendue du ciel et de la terre, semblable à une forêt.

Sequoia géants dans la forêt brésilienne, gravure, XVIIIe s. L'immensité de l'arbre millénaire que les hommes essaient d'entourer. Ces arbres, véritables cathédrales de la nature, existent encore dans les forêts des Etats-Unis.

9

Vénérés dans toutes les traditions, ce sont des arbres protecteurs. En Asie, en Thaïlande en particulier, on les trouve dans les temples bouddhiques évoquant l'arbre de la Bodhi sous lequel on dit que le Bouddha médita durant cinq ans. Les fidèles viennent prier à leur pied qui protège des statues du Bouddha. Et ils sont honorés par des offrandes.

Au Japon ces arbres sont Kami. Le mot Kami, dans la religion shintô, est intraduisible. Un Kami n'est pas réellement un esprit. C'est une entité qui est accomplie (ou parfaite) et qui, à ce titre, est devenue digne, non d'adoration, mais de vénération. Mais qui dit accomplissement, perfection, dit en particulier savoir accompli, sagesse parfaite, en un mot connaissance dans le sens le plus fort du terme, dans le sens du précepte : *deviens ce que tu es*. Ainsi la réalisation ou l'accomplissement d'une graine de blé sera l'épi de blé. De même un petit arbre peut s'accomplir et devenir un arbre millénaire dont les branches s'épanouiront comme une forêt. Un tel arbre fort et majestueux peut, dans certaines circonstances, être vénéré. Il devient alors Kami. On l'entoure d'une corde sacrée *(shimenawa)* qui indique son caractère sacré, « tabou ». Désormais personne ne pourra jamais le couper. On trouve dans tous les temples shintô ces arbres entourés d'une cordelette ornée de papiers découpés *(Gohei),* symboles d'antiques offrandes.

Comme l'arbre, le cosmos est l'expression même de la vie. Il est cette natura-naturans qui se régénère sans cesse. Les champs d'énergie infinis qui le gouvernent sont comme la sève de l'arbre, le cosmos est ici le principe de croissance qui est à l'origine de toutes choses. Ainsi, comme l'arbre lui-même, il ne cesse de croître et de s'étendre dans toutes ses dimensions, verticales et horizontales. Il est donc à l'image du grand stûpa bouddhique,

Borobudur, un centre qui, tel un point infiniment petit ou infiniment grand, symbolise la totalité des mondes, va croître et grandir, aussi bien dans l'invisible que dans le visible. De l'un naît la multiplicité, et toute multiplicité retourne à l'un.

L'arbre est, à l'image de tous les stûpa bouddhiques, un axe de l'univers dont les « cercles concentriques » ou mondes qu'il définit symbolisent tous les univers possibles. Ces univers connus et inconnus sont supportés par l'arbre cosmique qui est avant tout celui des axes ou des centres à partir desquels s'élaborent d'infinies créations.

Arbre de sève, arbre de vie, arbre des amoureux, arbre kami, arbre de Jessé, arbre de la Kabbale, arbre du centre du monde, arbre du cœur, de moi-même. Je n'en finirais pas de dire toutes choses et tout mystère avec le seul mot arbre.

Le mystère, c'est ce qui relie le haut et le bas, le visible et l'invisible, le ciel et la terre. L'arbre étend ses racines comme une immense chevelure souterraine analogue à celle qu'il déploie sous le ciel. tordu, noueux, droit, gros, fort, pitoyable ou noble, il reflète l'humain et le divin. Il est vagabond, ouvrier, cadre supérieur, guerrier, aristocrate et surtout sorcier.

On peut demander beaucoup à un arbre. Bismarck, fatigué par l'exercice du pouvoir, consulta son médecin et celui-ci lui conseilla de méditer une demi-heure chaque jour près du tronc d'un puissant chêne. Et tout alla fort bien. La santé et l'amour bien sûr concernent Sa Majesté l'arbre. Son « rut religieux » comme disait Victor Hugo est l'expression d'une vitalité à la fois maternelle et spirituelle. N'oublions pas que l'arbre de vie et l'arbre de la connaissance sont en définitive reliés par un seul tronc. Il existe au Japon d'innombrables coutumes populaires consistant à marier les arbres. Dans un village près de Kyôto deux branches d'arbres coupées symbolisent le yin et

*F*orêt de
*cryptomères et
tori (porte shintô).
Sanctuaire
Kumano, Nachi,
Japon.*

le yang, les contraires et les complémentaires indissociables. Elles sont ensuite accouplées l'une à l'autre au cours d'une cérémonie qui se déroule à trois heures du matin, au moment où le soleil apparaît.

L'arbre offre peut-être une aide magique : une coutume dravidienne en Inde du Sud veut que lorsqu'un couple est stérile, il se rende au bord de l'étang ou de la rivière sacrée un jour faste. Là, chaque époux plante deux plants d'arbre sacrés, l'un mâle, l'autre femelle, et entourent la tige droite et rigide de l'arbre mâle avec la tige souple de l'arbre femelle. Les années passent. C'est seulement au bout de dix ans que les deux arbres entremêlés auront gagné une force suffisante. L'épouse vient alors seule déposer au pied de l'arbre une pierre longtemps polie par les eaux de la rivière sur iaquelle un couple de serpents également enlacés a été gravé. C'est la force vitale manifestée et en quelque sorte potentialisée par la pierre. Seulement alors la femme devient féconde.

En fait, l'arbre symbolise la réalité physique du continu et du discontinu, ou encore l'alliance du *je* et du *soi*. Les racines sont la manifestation, les feuilles, la lumière ou la musique, l'arbre renversé de la Kabbale est un idéogramme exprimant le monde cosmique ou haut et bas inversés se conjuguent hors de l'espace-temps dans l'axe de l'infini présent.

« J'irai vers la force de l'arbre qui me connaît, qui révèle en moi ce que je suis, je vais à sa rencontre. Je suis l'arbre de l'infini habité de cet autre infini qui est le miroir conjugué de l'arbre et de moi-même ».

Michel Random

L'ARBRE DE VIE

L'universalité du symbolisme de l'arbre témoigne d'un lien primordial entre l'arbre et l'homme qui, partout et en tous temps, ont su et savent encore se reconnaître. Outre les exemples familiers de l'arbre du jardin d'Eden et des Arbres de la Liberté, on notera que, de nos jours, les campagnes contre la pollution ont pris d'abord pour cible la destruction des espaces verts, c'est-à-dire des arbres. Certes, chacun a pu apprendre sur les bancs de l'école l'étroite solidarité biologique de l'animal et du végétal mais, bien au-delà d'une simple donnée de la biochimie, cette symbiose ne vient-elle pas confirmer un symbolisme instinctivement vécu depuis toujours ?

C'est sans conteste un génie des plus sûrs qui, par-delà toute métaphore plus ou moins factice, a permis au poète de discerner dans son chêne, non

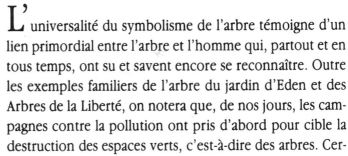

La Femme sur la Bête, *Beatus,* manuscrit 2290, F° 64, Gérone, Espagne.

seulement un copain, un semblable quelque peu complice, mais encore et surtout son alter ego, *l'autre moi* dont l'éloignement le déracine. Cette symbiose en effet nous renvoie à la mystérieuse connivence qui unit immémorialement hommes et arbres, et chaque tradition a vu dans ce rapport le symbolisme le plus fort et le plus intégrant. Si, comme l'assurait Protagoras à l'aube grecque de notre philosophie, l'homme est la mesure de toute chose, on est alors en droit d'induire d'une telle symbiose l'universalité de l'arbre comme totalisant toutes les significations de l'homme et du monde.

Le Jardin de l'Amour sacré, Moreh, 1987. Tempera. Huile.

Encore convient-il de s'entendre sur le sens à donner plus particulièrement à cet alter ego tombant sur nous du ciel, pour tenter si possible d'y rassembler en une unité sans faille, et pour ainsi dire organique, la foisonnante multiplicité, disparate parfois mais toujours homogène, des divers symbolismes de l'Arbre, de l'Arbre comme symbole vivant et vécu.

En quoi l'arbre est-il alter ego,

autre moi-même ? Serais-je à mon insu dépositaire de racines et de branches, de profondeurs et de hauteurs implantées là tout droit pour conjoindre en mon sein des cieux et une terre intimes ? Dès lors cet autre moi serait-il mon vrai moi, celui que « moi » j'ignore et méconnais au point de rechercher « ma » vie partout où elle n'est pas ? Là, sans doute, est la vraie question. Car l'universalité du symbole exige que ce vrai moi participe de ceux de tous les autres, que nos cieux et nos terres intimes, à nous tous, les hommes, voient leur diversité se fondre dans l'unité d'une intimité suprême, souverainement dépositaire d'une terre et de cieux à la fois communs et partagés. Mais partons tout d'abord à la quête de notre arbre intime, de cet axe immobile en nous, culminant vers nos cieux et planté dans nos profondeurs.

Le jardin d'Eden

La Bible pose d'emblée cette solidarité. Au troisième jour sont créés les « arbres portant fruit », préalablement à la vie animale qui n'apparaît que le cinquième jour. Dans l'intervalle, le quatrième jour voit la création des deux luminaires, le soleil et la lune, symboles de la vision directe et de la vision réfléchie, de l'intuition et de la pensée. Enfin, le sixième jour voici l'homme, qui réintègre en lui l'ensemble de la création, et principalement les arbres. « Et Dieu dit : Voici, je vous ai donné toute herbe portant semence, qui est sur toute la terre et tout arbre qui a en soi du fruit d'arbre portant semence, et qui vous sera pour nourriture »[1].

Et Dieu ajoute que les oiseaux des cieux et les bêtes de la terre n'auront, quant à eux, pour nourriture, que l'herbe verte. Les arbres sont réservés aux hommes. Ainsi, l'arbre est créé avant l'homme, mais l'homme est destiné à manger de l'arbre : il y a montée de l'arbre vers l'homme, puis incorporation de l'arbre par l'homme. La ligne de fracture entre les deux pôles du symbole est ici dans les luminaires, que l'on voit d'ailleurs souvent représentés, dans l'iconographie, de part et d'autre de l'arbre du jardin d'Eden.

Dans l'enceinte de ce jardin, justement, l'arbre prend une exceptionnelle importance. Si l'homme y a le droit de faire sa nourriture de « tout arbre agréable à regarder et bon à manger », et même y est encouragé, il lui est en revanche strictement interdit, sous peine de mort, de toucher à

l'Arbre de la Connaissance du Bien et du Mal. C'est du moins là ce que rendent les traductions courantes du texte hébreu de la Genèse, qui appellent les plus grandes réserves, mais qui ont au moins le mérite d'attirer l'attention sur le symbole de l'arbre. L'homme, on le sait, passe outre, mange de cet arbre, suscitant la colère de l'Eternel-Dieu qui dit alors : « Voici,

Le Paradis fermé, Jacques de Kokenobaphos, XIIᵉ s. Paris, B.N., Fonds Gabriel Millet, Sorbonne.

l'homme est devenu comme un de nous pour la connaissance du bien et du mal. Mais maintenant, qu'il n'avance sa main et ne prenne aussi de l'Arbre de Vie, de peur qu'il n'en mange et ne vive éternellement »[2]. Voici donc l'Arbre de Vie, planté « au milieu du jardin », désormais gardé par des « chérubins armés d'une épée de feu tournoyante ». Débutant ainsi par un bannissement de l'homme, la Bible s'achève cependant sur une promesse : « A celui qui vaincra, je donnerai à manger de l'Arbre de Vie qui est au milieu du paradis de Dieu »[3]. Le « paradis de Dieu », au milieu duquel se trouve l'Arbre de Vie, est ainsi immédiatement associé à la connaissance, mais à une connaissance pour ainsi dire « rachetée », c'est-à-dire purifiée, comme à travers un filtre, par le passage de l'homme dans le monde.

Le symbolisme de l'Arbre de Vie est à peu près universel. En Egypte, le sycomore conférait aux morts la vie éternelle. C'est la nature ou la Grande-Mère, qui donne le lait ou encore la sève, qui fait croître l'homme et toutes choses. L'énergie vitale de l'arbre est associée aux pouvoirs féminins de la création dans la plupart des traditions. Par extension, il est associé à la terre (principe féminin) et au cosmos lui-même représenté sous la forme d'un arbre géant, qui devient le symbole de la réalité absolue. Car, à l'image de l'arbre, le cosmos se régénère sans cesse. Il est la source de la vie inépuisable, le vivant par excellence, incluant toutes choses (vie et mort) dans une dynamique créatrice qui est le fondement du monde cosmique (ou comme on dirait aujourd'hui en termes scientifiques, le fait que la néguentropie s'oppose à l'entropie). L'arbre symbolise ainsi la vie et l'univers lui-même.

Dans les religions archaïques, il *est* l'univers. Dans la tradition indienne, il est la manifestation du Brahman dans le cosmos. Car selon les Upanishads « ses branches sont l'éther, l'air, le feu, l'eau, la terre »[4]. C'est pourquoi l'homme associé à l'arbre participe à ce cosmos, à cet arbre de vie, et ne fait plus qu'un avec lui, devenant la manifestation unique et vaste de Brahman.

Dans les civilisations pré-indiennes de Moenjodaro (IIIe millénaire av. J.-C.),

l'arbre cosmique est représenté par le *Ficus religiosa* près duquel se tiennent des déesses nues. De même, le lieu sacré était formé d'une enceinte de pierres élevées autour d'un arbre. L'association Déesse et Arbre de Vie se retrouve sous les formes les plus

Arbre de vie, sculpture sur bois, XVIIIe s., Thaïlande. L'homme est au centre de l'Arbre de vie qui culmine par un symbole solaire. L'ensemble s'inscrit dans un triangle qui représente la Création.

variées en Mésopotamie. Gilgamesh rencontre la divinité Siduri dans un jardin où se trouve un arbre miraculeux. Cet arbre est en réalité un cep de vigne. Or, la vigne, expression de l'immortalité, est aussi le nom de la Déesse-mère, nommée « La Mère cep

Echidna, Piero Ligorio, XVIᵉ s. Jardin de Bomarzo, Italie. Divinité végétale à la double queue couverte d'écaille, la fertilité végétale. Elle assure celle des sources et des pluies.

Double page suivante : Les amours de Râdhâ. Peinture illustrant la Gîtagovinda de Jayadeva, 1780, Pahari, Kangra.

de vigne ». C'est donc naturellement à Siduri que Gilgamesh vient demander l'immortalité.

Ce même motif femme nue-vigne se retrouve dans les légendes apocryphes chrétiennes, l'arbre symbole féminin est issu de la terre-mère. Il est à la fois fécondé et féconde à son tour la terre. Cette nature féminine de l'arbre explique pourquoi, dans de nombreux

mythes, l'homme naît précisément de l'arbre.

Inversement, à sa mort, l'homme est enseveli dans un arbre creux et remis ainsi à la mère, ou à la Déesse-mère-arbre, qui l'a enfanté.

Le culte de l'Arbre-ancêtre

L'arbre est presque toujours associé à la naissance, à la généalogie ou à des cycles antérieurs de vie des individus ou des communautés. Il existe une communauté primordiale entre les arbres et les hommes, dont témoignent leurs retrouvailles permanentes ; c'est ce qu'atteste le culte de l'Arbre-ancêtre d'où est issue la tribu. C'est le cas chez les Meo en Thaïlande ou en Birmanie, les Tagalog des Philippines, les Aïnou au Japon où ces tribus descendent d'un bambou, d'un mimosa. De même, Marco Polo rapporte que « le premier roi des Ouïghours est né d'un certain champignon nourri de la sève des arbres ».

D'après Mircea Eliade, « le fait qu'une race descend d'une espèce végétale présuppose que la source de la vie se trouve concentrée dans ce végétal, donc que la modalité humaine se trouve là, à l'état virtuel, sous forme de germes, de semences ». « C'est sur l'arbre, dit aussi Jean-Paul Roux, que l'on doit chercher l'origine de l'humain (...). Le rôle des arbres ne se limite pas à être le support des âmes avant la naissance et à concentrer la source de la vie. L'action de leur puissance ne prend pas fin avec la procréation. Le végétal est lié à l'homme pour toute la durée de l'existence. La mort même ne brise pas les attaches et l'arbre donne une impulsion à la vie de l'au-delà. Marco Polo raconte déjà que le grand Khân fait planter des arbres avec le plus grand plaisir, car ses devins et astrologues disent que qui fait planter des arbres aura longue vie »[5].

Banyan. Arbre dont les racines sont aériennes. Jardin botanique, Palerme.

Abbaye de Moissac. Manuscrit de la fin du XIIe et du début du XIIIe s. Le palmier est comparable à la vie des justes.

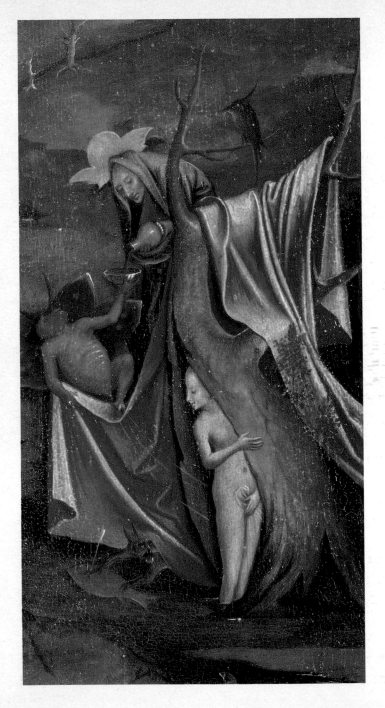

*Les tentations de
Saint-Antoine,
tryptique (détail
de la partie
droite),
Jérome Bosch,
musée du Prado,
Madrid.
L'arbre creux est
l'image d'une
matrice d'où nait
la vie.*

Si, dans cette orientation, l'homme trouve son sens dans l'arbre, si donc l'arbre est en quelque sorte le symbole de l'homme à l'opposé, en revanche, c'est l'arbre qui trouve son sens dans l'homme, symbole de l'arbre. Ainsi, dans d'innombrables cas, l'arbre est-il « habité » et fait-il l'objet d'un culte.

Dans ce double apparentement de l'homme et de l'arbre, on reconnaît aisément le symbolisme chinois du *Yin-Yang* : l'homme contient l'arbre en germe, et réciproquement, point noir dans la zone blanche, et point blanc dans la zone noire, les deux zones étant indissociablement unies et passant cycliquement l'une dans l'autre par le développement de leurs germes respectifs.

L'Ancien Testament, lui aussi, contient un exemple caractéristique de l'Arbre-Ancêtre : l'Arbre de Jessé. « Mais il sortira un rejeton du tronc de Jessé, et un surgeon croîtra de ses racines. Et l'esprit de l'Eternel reposera sur lui, l'esprit de sagesse et d'intelligence,

l'esprit de conseil et de force, l'esprit de connaissance et de crainte de l'Eternel »[6].

Dans la tradition juive, l'Arbre de Vie est étroitement associé à l'étude de la Loi, de la Torah, c'est-à-dire au savoir inscrit dans les cinq premiers livres de la Bible, que cette même tradition attribue à Moïse : « Quiconque s'y adonne ne redoute ni l'en-haut ni l'en-bas et ne craint ni les misères ni les affres du monde puisqu'il est lié à l'Arbre de Vie et en tire chaque jour son savoir »[7]. Il s'agit donc d'un arbre de connaissance, et l'on peut alors se demander ce qui le distingue de l'autre. L'arbre dont on mange le fruit précipite l'homme, hors de l'Eden, dans le monde pour y travailler « à la sueur de son front ». C'est que ce dernier arbre, celui de la connaissance du bien et du mal, ne dispense, justement, que la connaissance des choses du monde, dominée par les antagonismes du oui et du non, du vrai et du faux, du positif et du négatif, bref « du bien et du mal ». Au contraire, l'Arbre de Vie est

*M*osaïque, *art romain, musée du Bardo, Tunis. L'arbre, symbole du Christ, est entouré de deux chevaux représentant les croyants.*

ADORANDVS

CRINITVS

unitaire, il dépasse et réduit ces antagonismes, cette « roue des dualités » dont parle une tradition orientale et dont l'homme doit s'affranchir s'il veut accéder au rang des vivants. C'est pourquoi, au Moyen-Orient notamment, il est souvent représenté entre deux animaux qui s'affrontent et symbolisent, de part et d'autre de sa verticalité, l'horizontalité de ces antagonismes, de cette lutte des contraires partout et toujours à l'œuvre dans le monde.

Dès lors, le savoir inscrit dans l'Arbre de Vie n'est assurément pas dans le monde, mais il contient au contraire ce monde et le supporte. Aussi celui qui s'adonne « jour et nuit » à la Torah ne se contente-t-il pas d'apprendre une leçon mais participe-t-il pleinement à l'œuvre même de la création. La Bible, à cet égard, est on ne peut plus nette : « J'étais auprès de Lui un architecte »[8], ce que le Zohar souligne en proclamant que c'est l'étude de la loi qui soutient le monde. C'est ainsi

Arbre alchimique, Giovanni Batista della Porta. Magiae Naturalis, Francfort, 1591.

que l'Arbre de Vie engendre aussi l'arbre cosmique, nourri par l'étude de la Loi, ce qu'une fois encore la Bible précise nettement : « Yahweh a fondé la terre par la sagesse, il a établi les cieux par l'intelligence »[9]. La sagesse, en dehors de toute connotation mystique, c'est ici l'accumulation du savoir dans l'unité du savoir-faire, c'est l'expérience acquise dans la fréquentation permanente de la Torah, le « métier » qu'on en a, au sens où l'on dit d'un artisan qu'il a du métier ; et, bien au-delà de l'acception habituelle, l'intelligence n'est autre que l'ouverture aux horizons lointains de la sagesse, leur perpétuel dépassement, le pouvoir d'élever l'expérience acquise vers les hauteurs de l'éternel nouveau et d'en nourrir les profondeurs de cette expérience même. La sagesse et l'intelligence sont le pouvoir de faire croître en soi l'Arbre de Vie, enraciné dans la terre de l'expérience et culminant aux cieux de l'intuition.

On peut en voir une illustration dans le *Jardin des Délices* de Jérôme Bosch, et plus particulièrement dans le détail montrant la *Fontaine de Vie*, cette structure sphérique surmontée d'une colonne et située au confluent de quatre fleuves : « Un fleuve jaillissait de l'Eden pour arroser le jardin, et de là

Le Jardin des délices, tryptique (détail),

30

Jérome Bosch.
Musée du Prado,
Madrid. Les trois
arbres de vie. Au
centre de la
sphère terrestre,
un couple
symbolise l'arbre à
l'envers de la
Kabbale, c'est-à-
dire l'union avec
le divin.

il se divisait en quatre branches »[10]. Si l'on se rappelle alors que l'Eden signifie communément les « délices » associées au « paradis terrestre », il devient clair que Jérôme Bosch, dans sa Fontaine, n'a pas voulu représenter autre chose que l'Arbre de Vie. Forme parfaite selon les normes traditionnelles, la sphère symbolise donc la sagesse, et les fissures qu'on y remarque témoignent assurément de la perpétuité de son inachèvement, de la « pression interne » qui, en quelque sorte, force l'ouverture, comme le germe fait éclater le fruit. Sur cette écorce est posée une forme évoquant une tranche de melon, qui est une portion de sphère, la portion de sagesse, d'expérience, à tout moment dévolue aux hommes, le sol, la terre, sur quoi reposent leurs pieds. C'est dans ce sol que s'enracine la colonne, dont on notera qu'elle est multiple, un pilier plus mince s'enlevant sur le premier dans une sorte de floraison, et surmonté lui-même d'une fructification annonçant de futurs piliers, plus élevés, un élan permanent vers les cieux. C'est là le symbole de l'intelligence, de l'irruption attendue et d'avance acceptée de l'éternelle nouveauté au sein d'une sagesse qui ne peut jamais être que provisoirement achevée. L'eau jaillissant du pilier évoque ce perpétuel « feed back », ce recyclage permanent du fleuve de vie dont se nourrit la sphère et qui, de germination en germination, ne lui impose pour limite que l'horizon infini des cieux.

De la sagesse à l'intelligence, de la sphère terrestre à la sphère céleste, il y a l'Arbre de Vie enraciné dans un sol, dont il est écrit : « Il a suspendu le sol à la sphère »[11], et affleurant un firmament dont il est dit : « Les piliers des cieux frémissent et s'émerveillent à son appel »[12]. Et, perpétuellement écartelé entre les racines de sa connaissance et les ramures de son savoir, entre une terre inépuisable et des cieux insurpassables, il y a l'homme, l'Adam enchaîné par l'étude à l'Arbre de Vie, et l'on comprend pourquoi le Christ, le dernier Adam venu pour accomplir la Loi, ait parfois été représenté crucifié sur un arbre, dans cet écartèlement inouï où le centre de la terre confine à l'horizon des cieux.

Arbre de vie. Peinture sur verre de la fin du XIXᵉ s., Silésie. Musée ethnographique de Varsovie.

L'ARBRE COSMIQUE

Notre propre culture, à la fois judaïque et hellénique, rapporte le monde à un arbre : l'arbre cosmique appartient à notre tradition. Nous sommes loin, toutefois, d'en être les seuls dépositaires.

Dans l'Inde ancienne, par exemple, l'univers est rigoureusement ordonné par les arbres. C'est ainsi qu'Odette Viennot rappelle que pour la tradition indienne « l'univers se divise en sept continents concentriques, chacun entouré d'un océan et portant le nom de l'arbre ou de la plante dont les habitants reçoivent les bienfaits »[13]. Le continent central, où se situent les Indes, est nommé *Jambudvîpa*, du nom de l'arbre *Jambu*, Jambosier *(Eugenia Jambolara).* « Six montagnes orientées d'Est en Ouest, comme l'Himalaya, le divisent en sept contrées principales, réparties selon un axe Nord-Sud de part et d'autre du pays central d'Illâvrita, au milieu duquel le mont Meru dresse sa haute silhouette en forme de péricarpe de lotus »[14].

Et cette organisation ne se limite pas à la

géographie car « une remarquable correspondance a été établie entre le mont Meru et l'étoile polaire, Ciçumâra ou Dhruva, encore nommée le « pilier de sacrifice dans le ciel », car elle supporte le système stellaire. Cette étoile tourne sur elle-même et entraîne astres et planètes qui lui sont attachés par des cordes aériennes. La tête en bas, elle se déplace autour du Sumeru comme si elle le regardait »[15]. Toujours dans le même contexte, nous découvrons une remarquable concordance avec notre tradition judéo-chrétienne : « Sur les quatre côtés de ce lac (près duquel croît l'arbre jambu), se trouvent quatre bouches d'où s'écoulent les rivières Gangâ, Sindhu, Pakshu et Sîtâ ». Or, nous enseigne la Genèse, un fleuve sort de l'Eden et se divise en quatre branches.

La solidarité de l'étoile polaire et du mont Meru, dont la haute silhouette se dresse en forme de lotus, élève manifestement l'arbre à la dignité d'*axe du monde,* de moteur immobile du cosmos, ce qui renforce l'image de médiateur vertical entre les profondeurs de la terre et les hauteurs des cieux qui en est sans doute le symbolisme le plus immédiat. Aussi

Paysage de Toscane. L'arbre.

Représentation du paradis, *miniature arabe, XVIII*ᵉ *s. Au-dessus des mortels s'élèvent les sept niveaux spirituels symbolisés par les arbres de la connaissance.*

Page ci-contre : *Arbre Kami vénéré dans le sanctuaire shintô d'Hachiman, Kamakura, Japon.*

bien cette dignité se voit-elle partout reconnue : « L'arbre axial, notent Jean Chevalier et Alain Gheerbrant, est planté au centre de la tente sibérienne, et de la loge de la *danse du soleil* chez les Sioux. Le bouleau sibérien porte des entailles qui marquent les degrés d'ascension vers le ciel. L'arbre *Jianmu* (sanscrit : *Jambu)* chinois *(bois dressé)* est au centre du monde, il n'y a à son pied ni ombre ni écho »[16].

Il est un autre rapport entre le monde et l'arbre : le bois, et l'on notera à ce sujet que chez les Grecs comme chez les Hébreux, notre notion moderne de matière n'existe pas en tant que telle mais est remplacée par celle de bois mort ou de cadavre, bref de corps ayant été vivant mais à présent mort. Aussi bien les Grecs, pour qui *cosmos* signifie ordre, rendent-ils ce que nous entendons par matière par la *hylé* qui signifie, certes, du bois sur pied, mais en vue surtout de son abattage, ce qui renvoie au bois en tant que *matériau de construction*. Or, la mise en *ordre* de la maison commence par sa construction et son agencement selon des règles bien établies et, à cet égard, le *cosmos* peut être considéré comme une grande maison, judicieusement charpentée, dans laquelle évolue l'homme, de sorte que le monde,

immense construction dont l'ordre est strictement maintenu, se trouve mis étroitement en rapport avec le bois, avec la *hylé*.

Mais notre physique moderne, en découvrant l'agencement du monde selon des particules matérielles régies par des lois, n'est-elle pas plus ou moins héritière de la tradition hellénique ? Et pour autant qu'elle donne au rayonnement la place éminente que l'on sait en attribuant à la lumière un rôle de tout premier plan dans l'organisation universelle, ne rejoint-elle pas, entre autres, la tradition altaïque où « l'arbre est associé à l'idée de la lumière (liquide divin jaune écumant) »[17].

Revenant au bois, celui-ci n'est pas purement et simplement bois de charpente, mais aussi bois de chauffage et matière première pour de nombreux artisans. En tant que bois de chauffage, il est associé à la fumée qui monte vers le ciel. Dans les circumambulations rituelles des Bouriates qui imitent le mouvement apparent du soleil, note

Jean-Paul Roux[18], « deux choses semblent fondamentales : l'intégration au cosmos en perpétuel tournoiement et la recherche de l'axe cosmique. Que le feu soit un centre est évident :

Coupe étrusque, VIᵉ s. av. J.-C., musée du Louvre, Paris. Image parfaite de l'homme initié tourné vers l'arbre de la connaissance cosmique et divine symbolisée par l'oiseau.

le foyer familial est placé au milieu de la tente, sous le trou à fumée. La fumée qui part du foyer forme une colonne qui passe par l'ouverture supérieure de la demeure et disparaît dans le ciel »[19].

En tant que matière première de l'artisanat, le bois est associé à ce qu'il est convenu d'appeler la sagesse mais qui, renvoyé à ses origines helléniques, la *sophia,* ou hébraïques, la *hochmah,* l'une des dix séphiroth, est rendu au mieux par ce qu'on entend par « avoir du métier », c'est-à-dire avoir ce flair que ne peut donner qu'une parfaite intégration théorique et pratique du savoir. En ce sens, le bois est donc associé au savoir, ce qui touche à l'Arbre de la Connaissance dont il sera question plus loin. « Dans les tradi-

tions nordiques, sous toutes ses formes et sous tous ses aspects, notent Jean Chevalier et Alain Gheerbrant, le bois, ou l'arbre, participe à la science ; l'écriture traditionnelle irlandaise, les *ogam,* est le plus souvent gravée sur bois, elle n'est gravée sur pierre que dans des intentions funéraires. Il existe une homonymie complète du nom de la science et du nom du bois dans toutes les langues celtiques *(vidu :* irlandais *fis ;* gallois *gwydd ;* breton *gwez,* arbre et *gouez,* radical de *gouzout,* savoir) »[20].

On trouve dans la tradition juive un rapport entre l'arbre et la parole. Dans l'un des livres fondamentaux de cette tradition : le *Zohar* ou *Livre de la Splendeur,* nous lisons : « Mais à l'époque messianique la Colonne centrale

40

assurera la nourriture de chacun. (...) L'Arbre de Vie sera alors planté au milieu du jardin *et se réalisera la parole :* il prendra aussi de l'Arbre de Vie, en mangera et vivra toujours »[21]. Si l'on tient compte de

Mosaïque de pavement de la salle du trône de Khirhet el Mefdjir, château ommeyade de l'époque de Walid II (734-744), Jordanie.

ce que la tradition juive distingue constamment « ce monde-ci » *(olam hazeh)* et « le monde à venir » *(olam haba)*, c'est par l'arbre (la Colonne centrale, l'Arbre de Vie) que doit se réaliser la parole fondatrice du monde

Lettré jouant de la cithare sous un prunier, Tu Ch'in ou Lu. Epoque Ming (1368-1644). Musée de Shangaï.

à venir, l'ordre de l'époque messianique. Et que signifie, pour l'homme, « manger de l'arbre » sinon absorber, incorporer la substance de l'arbre ? Se nourrir de l'arbre c'est absorber la substance du monde, et par suite, la connaissance absolue, le savoir total, c'est-à-dire la connaissance de l'ordre des choses.

L'arbre et la croix

Pour les chrétiens, l'avènement du Messie a déjà eu lieu : le Christ, translittération du grec *christos* qui signifie « oint », n'est autre que le *Maschiach* hébreu, le Messie, l'oint de Dieu. Or, la totalité de la symbolique chrétienne s'organise autour de ce symbole fondamental qu'est la croix. Toutefois, l'accent mis sur la poutre transverse de celle-ci a fait généralement perdre de vue qu'il s'agit là avant tout d'un pieu de bois vertical. C'est ce qu'atteste le mot grec *stauros* qui signifie d'abord un pieu pour une palissade, puis ensuite seulement un poteau pour y clouer les condamnés. Le pieu exprime la verticalité. L'arbre s'élève de la terre vers les cieux et nous retrouvons ici l'arbre de Jessé dont le sens est « celui qui se tient droit ». Comme l'indique clairement, d'ailleurs, le Symbole des Apôtres, le

Mosaïque de pavement, cathédrale d'Otrante, XIIᵉ s. Italie. Arbre allégorique contenant l'histoire de la vie humaine, nommé « les arbres de la vie ».

43

Christ, après la crucifixion, descend dans le séjour des morts d'où il monte vers les cieux, instituant ainsi la verticalité de l'arbre au cœur même de la doctrine chrétienne. C'est à ce prix que le monde est « sauvé », c'est-à-dire, selon l'étymologie grecque de ce mot : *sozo*, maintenir sain et sauf, maintenu dans son ordre. Notons que certaines représentations de la crucifixion montrent le Christ cloué, non plus sur la croix traditionnelle, mais sur un arbre.

Dans l'iconographie chrétienne, la Croix est souvent représentée comme un Arbre de Vie. Le vrai bois de la croix ressuscite les morts. Le Christ est lui-même l'Arbre de Vie et le bois de la croix devient analogiquement le bois de l'Arbre de Vie du Paradis. « Dans une devinette germanique médiévale, il est question d'un arbre dont les racines sont en enfer et le sommet au trône de Dieu et qui

Le Christ à Gethsemani, Tetraévangile, seconde moitié du XIᵉ s. Pal 5, F° 92, Parme. Fonds G. Millet, Sorbonne. La Croix est ici un arbre de vie.

Page ci-contre : Palmiers, Thaïlande.

englobe le Monde entre ses rameaux, et cet *arbre* est précisément la Croix »[22]. A noter qu'en tant que symbole du Christ, la croix n'est utilisée que très tardivement, après le XIVᵉ siècle.

Cependant, la croix est le symbole universel, au même titre que l'Arbre cosmique, en vertu de ce que nous venons de voir. « Dans les légendes orientales, la croix est le *pont* ou l'*échelle* sur laquelle les âmes des hommes montent vers Dieu. Dans certaines variantes, le bois de la Croix a sept échelons, de même que les arbres cosmiques représentent les sept cieux »[23]. Pour Jacques Soustelle, dans son étude sur la tradition mexicaine, « la croix est le symbole du monde dans sa totalité ». Ce sens cosmique de la croix est encore présent en Afrique : dans l'art africain, des motifs crucifères, avec des lignes ou avec des feuilles de manioc, sont nombreux et riches de signification. La croix a d'abord un sens cosmique : indiquant les quatre points cardinaux, elle signifie la totalité du cosmos.

Quel est alors le rapport de cette dernière croix, horizontale, que l'on trouve dans les traditions des cinq continents, et de la croix verticale, arbre cosmique ? Assurément, celle-là est totalité du monde hors de l'homme, mais totalité inaccessible, celle-ci étant au contraire intégration du monde dans l'homme et, pour autant que Dieu se fait homme, intégration totale. Raymond Abellio met l'accent sur le passage permanent de l'une à l'autre, sur l'*élévation de la croix*, qui dégage le sens du monde pour l'homme et fait ainsi de l'arbre le symbole de la connaissance achevée[24].

L'ARBRE DE LA CONNAISSANCE
DU BIEN ET DU MAL

«E_t

Yahweh-Elohim fit germer
de la poussière de la terre tout arbre
agréable à voir et bon à manger, et l'Arbre
de Vie au milieu du jardin, et l'Arbre de la
Connaissance du Bien et du Mal »[25]. Ce que, faute
de mieux, nous traduisons ici par « la poussière de la
terre », c'est la *adamah,* cette même « substance » dont fut tiré
Adam, l'homme. Ce point est important à souligner car il montre
à l'évidence ce qui n'apparaît pas dans les traductions courantes de
la Bible, à savoir que l'homme et tous les arbres dont il est question ici
sont formés de cette  « substance » de telle
sorte que, dès le départ, l'accent est mis sur l'é-
troite parenté unissant les hommes et les arbres, ra-
tifiant ainsi d'entrée de jeu le symbolisme de l'arbre.
L'Arbre de la Connaissance occupe, dans le jardin, une
place à part, ou plus exacte- ment il n'y est pas situé, au
contraire de l'Arbre de Vie qui, lui, est « au milieu
du jardin ». « Cet arbre, dit le Zohar, se nourrit de deux côtés opposés
et il les reconnaît comme quelqu'un qui mange en même

*P*age ci-contre :
*Le Jugement
dernier (détail),
Anonyme, XIIIe s.
St Maria in Piano,
Loreto-Aprutino,
Italie.
Les âmes élues
découvrent les
arbres merveilleux
du paradis.*

temps du doux et de l'amer. Tirant sa substance de deux directions contraires, il les reconnaît et demeure parmi elles, c'est pourquoi il est appelé « bien et mal »[26].

Si l'arbre de Vie issu de la *Adamah* est pour l'homme, Adam, principe d'unité, l'Arbre de la Connaissance du Bien et du Mal, en revanche, issu lui aussi de cette même *Adamah,* est principe de dualité, mais de dualité dans l'opposition : en termes alchimiques, l'œuvre au rouge n'est pas achevée

Page 48 et double page précédente : Le péché originel, Michel Ange, détail du plafond de la Chapelle Sixtine, Le Vatican, Rome.

Ci-dessous : Adam et Eve, fin XIIIe s., cathédrale d'Orvieto.

Page ci-contre : Adam et Eve, Lorenzo di Credi.

52

par lui, l'union des contraires, leur mutation en complémentarités n'est pas encore réalisée. En « mangeant » de l'Arbre de la Connaissance, l'homme devient la victime de la « roue des dualités ».

On comprend alors pourquoi c'est le serpent qui incite l'homme, par l'intermédiaire de la femme, à commettre ce qu'il est convenu d'appeler le péché originel, symbolisant l'hélice des rotations horizontales du « bien » et du « mal », les tentatives d'atteindre l'infini par degrés. Pour reprendre l'image du Zohar, l'homme, avant de manger de l'Arbre de la Connaissance, ne faisait aucune distinction entre le doux et l'amer. Le serpent lui offre la possibilité de les distinguer et l'engage sur la roue des dualités.

Le rôle de la femme est alors clair : l'homme et la femme, fondus d'abord l'un en l'autre, sont séparés par Yahweh-Elohim et, comme les représente souvent l'iconographie, se tiennent désormais de part et d'autre de

l'Arbre de Vie (symbole du centre) et de l'Arbre de Connaissance (symbole de la périphérie). Ils sont dès lors l'image de deux colonnes, celle de la rigueur et celle de la clémence. En tant que « mère de toute vie »[27] Eve réalise sa propre essence c'est-à-dire la réunification androgynique du « bien » et du « mal », du principe mâle et du principe femelle.

La doctrine de la chute de l'homme qui a goûté de l'Arbre de la Connaissance du Bien et du Mal fait partie intégrante de notre culture occidentale au point que toute notre morale en est imprégnée. Et cette transgression interdit à l'homme l'accès à l'Arbre de Vie, du moins jusqu'au jour de la rédemption par la Croix.

« Le thème des deux arbres, remarque Roger Cook, n'appartient exclusivement ni au judaïsme ni au christianisme. Les anciens Babyloniens avaient deux arbres, l'Arbre de Vérité et l'Arbre de Vie, qui se dressaient à l'entrée du ciel, tout comme à la porte du Temple de Salomon se dressaient deux arbres colonne. Aux îles Hawaii, l'Arbre de la Vie éternelle et l'Arbre annonciateur de la mort sont repré-

La clef des songes (détail), Jean-Pierre Velly. Gravure.

Page ci-contre : Arbres de la vie et de la mort.

sentés comme ne faisant qu'un. Pour les indigènes de ces îles, les entrées du pays des morts sont des crevasses dans la terre. On les appelait les « lieux de perdition ». Dans un de leurs mythes, l'âme parvenue à l'un de ces lieux découvre un arbre entouré d'un groupe de petits enfants : un côté de l'arbre est vert et vivant, l'autre mort, desséché et cassant. Les enfants conseillent à l'âme d'escalader le côté desséché et de descendre de l'autre afin de saisir une branche vivante qui se cassera et la précipitera dans le labyrinthe qui conduit à l'autre monde »[28].

L'arbre lié dont les troncs s'unissent et se séparent pour s'unir à nouveau représentant l'union, la différenciation ou l'expression de la manifestation multiple avant le retour à l'unité est une **image** fréquente dans les traditions chinoises *(yin* et *yang),* islamiques ou chrétiennes.

En haut :
L'Arbre des amoureux, gravure coloriée, XVIIIᵉ s.

En bas :
L'arbre complice du cœur, carte postale en relief, 1904.

Page ci-contre :
Murmures d'amour sous les pommiers, imagerie populaire du XIXᵉ s.

Nur wo mich dein Arm umfasset,
Lächelt mir der schöne Stern,
Und sein hellster Glanz erblasset,
O Geliebte, bist Du fern!

G.O.   Rückert.   175.

Page ci-contre :
La toute puissante
majesté de l'arbre,
par Luc Dietrich.

Mosaïque de
faïence, mosquée
du Vendredi
(Masdjed-è-
Djomeh), Ispahan,
Iran.

Que la verticalité, et l'arbre en particulier, soit symbole de connaissance et symbole universel tient en premier lieu, sans doute, à ce que le vertical est, du bas vers le haut, passage des ténèbres souterraines à la lumière. Et que l'arbre ait eu, dans la nature, la priorité dans le choix du symbole tient vraisemblablement à ce qu'il est pratiquement le seul vis-à-vis *vertical* de cet animal *vertical* qu'est l'homme. Poussant un peu plus loin l'analyse, nous découvrons alors deux différences fondamentales entre l'homme et l'arbre, outre la mobilité de celui-là et l'immobilité de celui-ci : l'homme a ses pieds *posés* sur le sol où l'arbre, lui, s'enracine, et le faîte de l'arbre est bien plus proche des cieux que la tête de l'homme, qui ne peut que lever les yeux vers ces cieux inaccessibles. Aussi, l'homme prend-il peu à peu conscience de la précarité d'une situation où, simplement *posé* en vertu d'habitudes ou d'idées reçues, son savoir manque de *fondements*. Mais il s'aperçoit aussi qu'en grimpant aux arbres si, certes, il n'atteint pas le ciel, il élargit néanmoins considérablement son horizon, et cela d'autant plus qu'il s'élève davantage. Nous avons là tout le processus de la connaissance : recherche des fondements, élargissement de l'horizon. A la limite, le symbole du savoir accompli serait un arbre dont les racines confineraient au centre de la terre et dont les branches auraient envahi la totalité de l'espace. Il ne faut cependant pas oublier, dans la corrélation du vertical et de l'horizontal, le rôle essentiel joué par le *vortex,* le tourbillon qui est *rotation,* et même double rotation : l'ascension

Symbole de la science occulte, la croix représente l'arbre des trois niveaux de la Connaissance, reliés par le serpent, symbole de la dynamique du vivant.

vers les hauteurs se fait en hélice, en double hélice dans la plupart des traditions. Il est remarquable que la génétique la plus moderne ait découvert au cœur même de la matière vivante la structure en double hélice de l'ADN, l'acide désoxyribonucléique, agent de la conservation des formes vivantes, architecte de la synthèse des protéines, c'est-à-dire de la matière vivante elle-même. Ce résultat de la biologie actuelle, au même titre que la symbiose déjà évoquée de l'animal et du végétal, ne vient-il pas confirmer à son tour un symbolisme vécu depuis toujours ?

La Fontaine, Clavicules ou Clés du Grand Œuvre alchimique, XVIIIᵉ s.

Le caducée est évidemment l'objet qui vient immédiatement à l'esprit dès qu'il est question de la double hélice. C'est un des plus anciens symboles. On trouve déjà son image gravée sur la coupe du roi Gudea de Lagash, 2600 ans av. J.-C., et en Inde sur des tablettes de pierre appelées *nâgakals*. Les deux serpents s'enroulant en sens inverse autour de la baguette figurent évidemment le double mouvement vertical ascendant et descendant impliqué par la double hélice, double mouvement résultant d'une *ascension* et d'une *chute* combinées à une *rotation* horizontale dans les deux sens.

Ce même symbolisme du double enroulement exprime la tension et l'union des forces contraires. Chacun des croisements ou des nœuds représente un niveau, un plan, un état de l'être.

Le serpent, on le sait, est l'agent tentateur du jardin d'Eden, c'est lui qui « souffle » à Eve la suggestion de manger de l'Arbre de la Connaissance du Bien et du Mal et d'en faire manger à Adam.

Image alchimique : la construction du Grand Œuvre. Bibl. Estense, Modène.

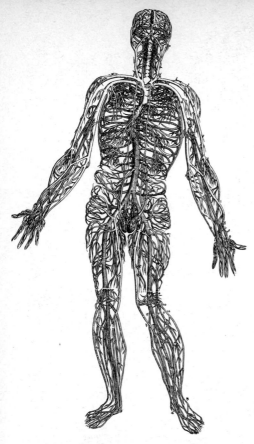

Si, dans l'homme, l'épine dorsale est l'axe du monde, la force vitale est représentée en Inde par la double spirale de la Kundalini dont l'énergie s'élève de la base sexuelle au sommet, déterminant sept centres ou chakras. Cette double spirale est aussi celle du bâton brâhmanique, d'innombrables caducées dont l'un des plus anciens est représenté sur un vase de stéatite datant de l'époque de Sumer (vers 2400 av. J.-C.) qui se trouve au musée du Louvre à Paris. Cette double spirale est encore symbolisée dans la religion shintô au Japon par la double circumambulation des kami créateurs Isanagi (masculin) et Isanami (féminin) qui tournent sept fois autour d'un pilier central, ou axe cosmique, avant de s'unir.

Mais la dualité, ici, se trouve dans l'arbre lui-même, qui est Arbre de la Connaissance du Bien et du Mal. Au sens littéral de la lecture du texte biblique,

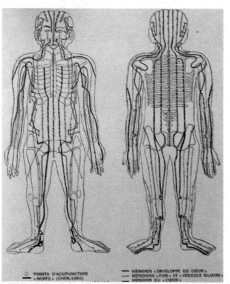

En haut : Système veineux par Andreas Vesalius, De humani Corporis Fabrica, Bâle, 1543.

En bas : Planche des points d'acupuncture.

Page ci-contre : Représentation des principaux Chakras. Dessin sur tissu, Inde, XVIIIᵉ s.

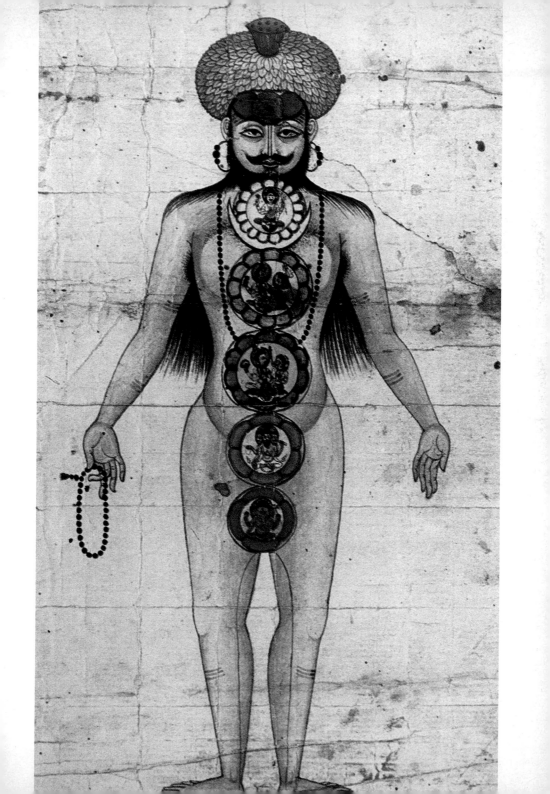

le bien et le mal sont pris au sens moral, mais dans une acception platonisante pour le moins étrangère à la tradition juive. *Tov,* le bien, et *ra,* le mal, renvoient en effet, plutôt qu'à ces idées, aux notions de *ce qui est bon* et de *ce qui est mauvais,* puis à ce qui est bon ou mauvais pour un but défini, c'est-à-dire, par exemple, à ce qui est juste ou erroné, correct ou incorrect, bref, au sens le plus général, à toute dualité. Ainsi, en mangeant de cet Arbre, l'homme s'engage dans « la roue des dualités », il se condamne à explorer horizontalement et de proche en proche le sol qu'il doit travailler « à la sueur de son front » et, verticalement, à s'échiner à grimper par degrés au tronc vertical de la connaissance d'où son horizon ne s'élargit que peu à peu et à grand peine.

Certes, cette aventure est loin du calme repos de l'innocence d'avant la chute, et l'homme, en s'y engageant, est, dans tous les sens du terme, « tombé de haut » car il fallait qu'il expérimentât le mouvement descen-dant. Comme l'a fait observer le théologien moderne Paul Tillich, cet état de potentialité (d'avant la chute) n'est pas la perfection, encore que le christianisme ait souvent tenu à l'appeler ainsi. Pour réaliser la perfection, il faut d'abord qu'il y ait chute dans la désobéissance et le péché. Dans l'histoire biblique, c'est la soumission de la femme, Eve, à la sagesse subtile du serpent qui provoque la chute nécessaire. Elle est responsable de la seconde naissance d'Adam au monde. Il faut considérer les arbres, selon les termes de Tillich, comme les deux tentations ou les deux angoisses entre lesquelles l'homme est placé : « L'angoisse de se perdre en ne se réalisant pas, et l'angoisse de se perdre en se réalisant dans toutes ses potentialités. Il est partagé entre la préservation de son innocence de rêve qui lui interdit l'existence réelle et la perte de l'innocence par la connaissance, la puissance et la faute. L'angoisse de cette situation n'est autre que l'état de tentation. L'homme décide de se réaliser, met-

tant fin au sommeil de l'innocence »[29]. Il sera peut-être intéressant de noter, ce qui évoque le Zen
japonais, qu'en hébreu le verbe *chata,*
traduit par *pécher,* signifie primitive-
ment « manquer la cible » au tir à l'arc,
ce que rend d'ailleurs exactement le
verbe grec *parapipto,* employé dans le
Nouveau Testament, qui signifie strictement « tomber à côté ». En ce sens,
le péché originel n'est autre que la première faute, la première *erreur,* celle
du débutant qui tire pour la première
fois à l'arc. La connaissance achevée,
ce qui constitue un but idéal, toute
faute, initiale ou non, est évidemment
« remise » : la vérité rend hommage à
l'erreur, condition même de sa réalisation.

*Adam et Eve,
bible de San
Bidoro, Xe s.,
Leon, Espagne.*

*Page ci-contre :
Le Paradis terrestre
(détail), Jérome
Bosch. Musée du
Prado, Madrid.
Auprès de l'Arbre
de vie, le
Créateur, sous les
traits du Christ,
présente Eve à
Adam.*

L'ARBRE
DANS LA TRADITION
JUIVE

Tel que le présente la tradition juive, l'*Arbre des Séphiroth* est un idéogramme, de la forme géométrique la plus dépouillée, qui relie entre elles dix « essences » ou *séphiroth* auxquelles cette tradition attache l'importance métaphysique la plus grande. Telle est d'ailleurs cette importance qu'explicitement ou non, très souvent avec insistance, la Bible, Nouveau Testament compris, y fait constamment référence, laissant ainsi à penser que, tant par leurs significations propres que dans leurs liens mutuels, les séphiroth constituent en fait, non pas un repère parmi d'autre, mais le repère de la tradition, le cœur même de la connaissance. C'est ainsi que tant le Christ que les Prophètes soulignent souvent leur propos d'avertissements du genre : celui qui a de la sagesse et de l'intelligence, qu'il entende.

Sagesse et Intelligence sont deux des dix séphiroth.

Les séphiroth peuvent donc être considérées en premier lieu comme dix noms *gravés* dans la conscience universelle. Mais que sont les séphiroth ?

Leh. C'est beau,
Mati Klarwein,
1975.
Les trois lumières dans l'arbre évoquent une révélation rappelant celle du Buisson Ardent de Moïse.

69

Le Grand arbre kabbalistique, Kircher, *Oedipus Aegyptiacus*, d'après *La Cabbale* par Paffus.

Dans *La Kabbale juive*[(30)] Paul Vulliaud indique que « La définition des *séphiroth* varie suivant l'ordre dans lequel on les considère. Dans l'ordre de la connaissance, ce sont les dix lumières qui éclairent l'intelligence. Dans l'ordre des noms, ce sont les dix attributs du Saint, béni soit-il. Dans l'ordre de la Révélation, ce sont les dix aspects sous lesquels l'essence divine se fait connaître, les dix « vêtements » dont elle se revêt, les dix degrés prophétiques par lesquels elle développe ses communications révélatrices. Dans l'ordre cosmogonique, ce sont les dix « paroles » par lesquelles Dieu a créé le monde, les dix souffrances par lesquelles il le meut et le vivifie, les dix

70

nombres par lesquels tout est nombré, mesuré, pesé. Dans l'ordre béatifique, ce sont les dix espèces de gloire dont jouissent les âmes et les esprits purs. Enfin, comme l'Universel est une harmonie, il était facile d'établir la série des correspondances alchimiques, astrologiques, etc. »

Selon les textes et l'iconographie, l'« Arbre des Séphiroth » affecte systématiquement la forme de trois triangles superposés, aux neuf sommets desquels se disposent les neuf premières séphiroth, surmontant, au bas de la construction, un point isolé occupé par la dixième. En outre, chacun des trois triangles et le point isolé symbolisent respectivement, de haut en bas, quatre mondes successivement dits d'Emanation, de Création, de Formation et d'Action. En voici la composition :

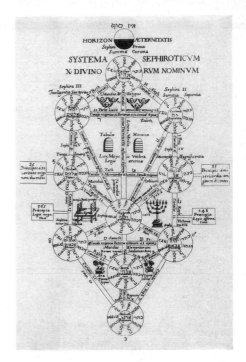

L'arbre des Sephirot, d'après La Cabbale par Paffus.

Monde d'Emanation	1. *Kether*	Couronne
	2. *Hokmah*	Sagesse
	3. *Binah*	Intelligence
Monde de Création	4. *Hesed*	Clémence
	5. *Guévourah*	Rigueur
	6. *Tiphereth*	Beauté
Monde de Formation	7. *Netsah*	Victoire
	8. *Hod*	Splendeur
	9. *Yésod*	Base
Monde d'Action	10. *Malkouth*	Règne

Enfin, au-dessus de l'ensemble mais sans en faire partie, figure encore une « essence », l'*En-Soph* ou *Sans Limite,* qui n'est donc pas une séphirah mais domine toute la construction.

« Les Sephiroth, écrit Roger Cook, représentent les pouvoirs, les attributs et les potentialités du divin et sont disposées en groupes de trois pour former l'Arbre kabbalistique ou Arbre de Vie. Il consiste en trois colonnes verticales : le Pilier du Jugement, comprenant Binah, Guévourah et Hod ; le Pilier de la Merci, comprenant Hokmah, Hesed et Netsah, et entre les deux la colonne de conciliation, le Pilier du Milieu appelé parfois la Balance, qui comprend Kether, Tiphéreth, Yesod et Malkouth ». Cette disposition verticale est donc corrélative de la disposition horizontale précédente, il y a là la totalité du symbolisme de l'Arbre.

Que le symbolisme séphirothique soit éminemment intégrant, c'est ce qu'atteste en premier lieu la représentation du corps humain qui en est traditionnellement tirée, et que rappelle Jean de Pauly dans sa célèbre traduction du Zohar[31]. Les quatre mondes

72

*A*rbre
*séphirotique de
Paulus Ricius.
Porta Lucis,
Augsbourg, 1516.*

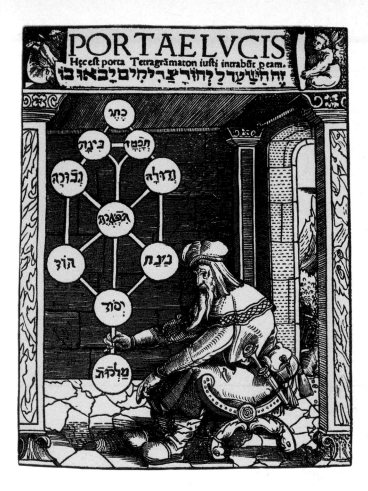

*P*age ci-contre :
<u>*L'île des morts*</u>
*(hommage à
Arnold Böcklin),
Ernst Fuchs, 1971.
Technique mixte,
46x60 cm.*

y sont, de haut en bas, successivement figurés par la tête, le tronc, le ventre et les pieds. Dans la tête, qui est *Emanation,* la Couronne, la Sagesse et l'Intelligence sont respectivement représentées par le cerveau caché, le cerveau droit et le cerveau gauche ; dans le tronc, qui est *Création,* la Clémence, la Rigueur et la Beauté sont, de même, respectivement figurées par le bras droit, le bras gauche et le cœur ; dans le ventre, qui est *Formation,* la Victoire, la Splendeur et la Base sont à leur tour respectivement figurées par la cuisse droite, la cuisse gauche et le périnée, base ou fondement du corps, ces trois séphiroth revêtant volontiers, notons-le, un caractère sexuel fréquemment souligné dans les textes traditionnels ; enfin les pieds (et les

L'arbre de Jesse, Conrad de Hirsau, Clairvaux, fin du XIIᵉ s. Speculum virginium, Ms 252. F° 2 v°. Bibl. municipale de Troyes.

jambes), qui sont *Action,* figurent ici la seule séphirah dénommée Règne. On s'étonnera peut-être que, dans ce symbolisme, les pieds, qui reposent normalement sur le sol et constituent les organes par excellence de la mobilité, soient associés à la séphirah *Malkouth,* le Règne, qui, tout en bas de l'Arbre, forme au contraire sa part souterraine, ses racines, la condition même de son immobilité. C'est qu'il faut voir ici, non pas l'homme dans le monde de la représentation habituelle, mais l'individu installé au centre de *son* monde, dans cet *ici* permanent qu'est son corps, où il se tient immobile et comme enraciné tandis que, dans cet égocentrisme, ce monde gravite autour de lui. En un mot, il ne s'agit plus en l'occurrence de l'homme dans le monde, mais du monde pour l'homme, pour sa conscience.

Ce monde, d'ailleurs, nous le découvrons dans cette extraordinaire cosmologie hébraïque que décrit le *Sepher Yetzirah,* le *Livre de la Formation,* où les trois lettres-mères, *aleph,*

mem, schin, de l'alphabet hébreu sont annoncées comme régnant respectivement sur le souffle (l'air, l'esprit), les eaux et le feu. En effet, à ces trois lettres correspondent respectivement dans le monde l'atmosphère, la terre et les cieux, et, dans l'homme, le tronc, le ventre et la tête, que nous retrouvons ainsi associés aux « trois parties » du monde, celui-ci se faisant dès lors, à son tour, arbre c'est-à-dire racines, tronc, ramure. « Trois mères : *aleph, mem, schin,* dit le texte, le tronc, le ventre et la tête dans la personne ; l'atmosphère, la terre et les

L'arbre blanc,
Moreh, 1973.
Peinture à l'huile.
L'arbre blanc
représente la
régénération
spirituelle. Les
oiseaux sont
l'expression de la
matière devenue
esprit.

cieux dans le monde. Le tronc, c'est du souffle, le ventre, c'est de l'eau, la tête, c'est du feu. L'atmosphère, c'est du souffle, la terre c'est de l'eau, les cieux, du feu ». Ainsi, symbolisme de l'arbre dans la personne, symbolisme de l'arbre dans le monde. Et, nous le verrons bientôt, symbolisme de l'arbre également dans le temps.

L'arbre inversé

Mais l'homme a été créé à l'image de Dieu et, par suite, la construction séphirothique, et la totalité de ce qu'elle intègre, dont nous venons d'esquisser quelques traits, renvoie à la Divinité qui, du haut des cieux, soutient l'arbre qui, en quelque sorte, s'enracine par le haut dans ce que Maître Eckhart nommait, non pas la Divinité, mais la *Déité,* transcendance dans la transcendance de Dieu même, et qui répond à l'*Elahouth* de la tradition juive. Et nous lisons, dans le Livre de Job[32] : « Il suspend la terre au néant ». Roger Cook note à ce sujet : « Les kabbalistes voyaient dans la création la manifestation extérieure du

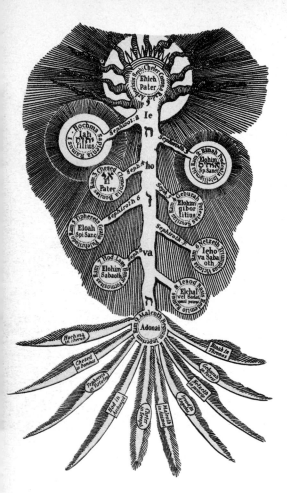

caché contient toute la création, et la création révèle à son tour le monde caché de Dieu. C'est ainsi que dans le *Livre de Bahir,* le plus ancien texte kabbalistique connu, écrit vers 1180 dans le sud de la France, on lit ceci : « Toutes les puissances divines forment comme l'arbre une succession d'anneaux concentriques ». Et le texte kabbalistique le plus influent de tous, le Livre du *Zohar,* écrit au XIIIe siècle par Moïse de Léon, dit : « Oui, l'Arbre de Vie s'étend du haut en bas et il est le soleil qui illumine tout ».

On retrouve presque partout dans le monde la tradition de l'arbre renversé symbolisant le cosmos. Selon Platon, l'homme est une plante renversée, dont les racines s'élèvent vers le ciel et les branches descendent vers la terre. De même, les racines de l'Arbre du Bonheur, dans la tradition islamique, plongent dans le dernier ciel et ses rameaux enveloppent la terre. Concept que nous retrouvons dans le folklore islandais et finlandais. En hommage au dieu de la végétation, les Lapons font chaque année le sacrifice d'un bœuf. A cette occasion, on pose près de l'autel un arbre dont les racines sont en l'air et le feuillage à terre. Dans certaines tribus australiennes, les sorciers plantaient un arbre renversé

Arbre séphirotique. Dans la Kabbale, tout ce qui est sur terre est aussi dans le ciel. Ainsi les noms des séphiroth sont répétés deux fois.

monde divin intérieur, et l'arbre renversé leur servait à illustrer cette idée. Car tout comme la graine contient l'arbre et l'arbre la graine, le monde divin

de nature magique. L'Univers est, dans les Upanishads, un arbre dont les racines s'élèvent dans le ciel, tout en étendant ses branches au-dessus de la terre tout entière. (...) Le Rig-Veda précise : « C'est vers le bas que se dirigent les branches, c'est en haut que se trouve sa racine, que ses rayons descendent sur nous ».

Cette tradition de l'arbre renversé est sans nul doute relative au double mouvement ascendant et descendant

L'arbre renversé, XVIᵉ s. Jardin de Bomarzo, Italie. Deux tritons enserrent un corps féminin, la tête renversée, symbole de l'union du ciel et de la terre.

Double page suivante : Moïse devant le Buisson Ardent, Ernst Fuchs, 1956-57. Peinture 18,5x32,2 cm.

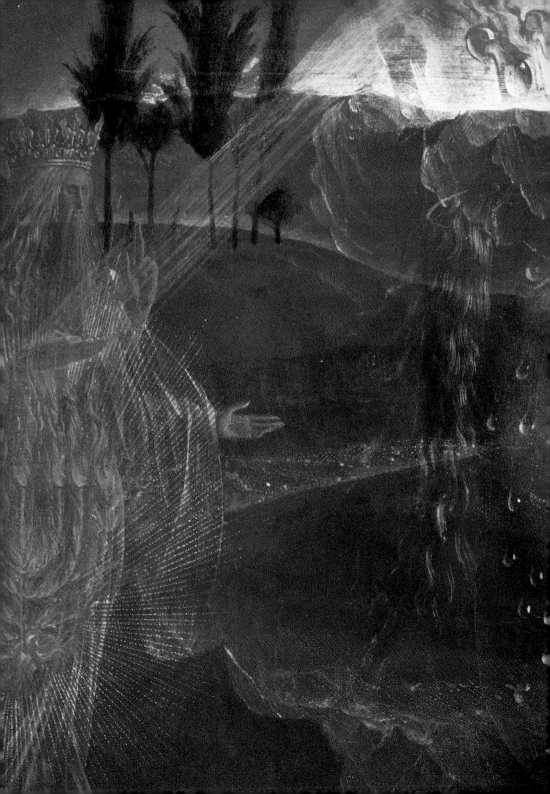

Page ci-contre :
Le Chandelier à
sept branches,
sculpture, détail
du portail de la
cathédrale de
Strasbourg.
« Le Menorah »
symbolise l'Arbre
de vie.

Arbre de l'Aleph,
Moreh, 1977,
gravure.
Aleph, première
lettre de l'alphabet
hébraïque,
symbolise l'unité
de Dieu. L'arbre
lui-même
représente la
Torah, ce qui
explique la
couronne au
sommet de l'arbre.

caractérisant le processus de la connaissance, et dont nous avons donné une idée avec la double hélice et le caducée. Dans la gigantomachie de Platon, les Enfants de la Terre, finalement, s'élèvent, en « grimpant à l'arbre », de la réalité la plus matérielle, la plus *terre-à-terre*, vers les idées les plus dépouillées, les plus pures : ils s'enracinent dans la terre et voient leurs résultats s'épanouir vers les cieux. Les Amis de la Forme, en revanche, descendent le long de l'arbre et rendent compte de la réalité la plus grossière au moyen des idées les plus pures : ils s'enracinent dans les cieux et voient leurs résultats s'épanouir au plus profond de la terre. On sait que, dans le texte de Platon, ce sont ces derniers qui l'emportent, qui déjouent tous les pièges des Enfants de la Terre, et l'on méditera à cet égard la leçon de la science moderne : ce sont les structures mathématiques les plus abstraites, les plus dépouillées, les plus désincarnées et les moins intuitives qui, aujourd'hui, rendent compte, avec la physique quantique, des réalités les plus profondes de la matière. Les Amis de la Forme possèdent d'entrée de jeu les idées toutes faites, prêtes à servir. Les Enfants de la Terre s'échinent à élargir par degrés leur horizon. « Tu ne monteras point à mon autel par des degrés », dit Yahweh à Moïse. Mais c'est à Moïse qu'il le dit, à Moïse qui, en Egypte, eut l'expérience d'un Enfant de la Terre avant qu'Israël, comme le dit rigoureusement le texte biblique, ait « *germé* de la terre » d'Egypte.

L'évocation la plus connue, chez nous, du symbolisme de l'arbre inversé est, bien entendu, celle qu'en a donné Dante dans sa *Divine Comédie*[33], mais il est toutefois assez répandu pour qu'on le trouve, outre les traditions judéo-chrétienne et islamique, aussi bien en Australie qu'en Inde, en Finlande et en Islande. Symbole bizarre, insolite, l'arbre inversé étend, comme il se doit, ses racines vers le ciel et ses branches vers la terre, et l'on peut évidemment se demander quel est le sens d'un tel renversement de l'ordre naturel.

On en a proposé bien des explications : rôle de la lumière dans la croissance des êtres vivants en général et des arbres en particulier, qui la reçoivent d'en haut et la font pénétrer en bas ; « signe, selon Gilbert Durand, de la coexistence, dans l'archétype de l'arbre, du schème de la réciprocité cyclique »[34]. Pour René Guénon, les deux dispositions de l'arbre « doivent se rapporter à deux points de vue différents et complémentaires, suivant qu'on le regarde en quelque sorte de bas en haut ou de haut en bas, c'est-à-dire, en somme, suivant qu'on se place au point de vue de la manifestation ou à celui du principe »[35].

Quoi qu'il en soit, il y a dans le symbole de l'arbre inversé une sorte de scandale, le bon sens refuse l'idée d'un tel arbre. Mais il est à noter qu'il refuse la plupart des renversements, et particulièrement ceux que l'on dit coperniciens depuis que Nicolas Copernic a, précisément, *placé la terre dans le ciel.* Or, tout progrès décisif dans l'ordre de la connaissance résulte d'un tel renversement et, dans ces conditions, il semble légitime d'admettre que l'arbre de la connaissance s'assortisse de son inverse, traduisant ainsi la permanence, en son sein, de la subversion nécessaire à sa croissance. Nous retrouvons là un thème traditionnel bien connu, celui de la conjugaison, en vue d'une montée

Arbre alchimique,
Fabrice Balossini,
1983. Dessin. Le
soleil représente la
pierre
philosophale.
L'eau et les racines
sont les énergies
lunaires et
féminines.

globale, des deux mouvements verticaux ascendant et descendant.

Ainsi, l'arbre normal représenterait la montée de la matière dans l'esprit, sa spiritualisation, et l'arbre renversé, au contraire, la descente de l'esprit dans la matière, son incarnation, le résultat final étant toujours cependant l'esprit s'incarnant dans une matière toujours plus spiritualisée, dans une matière s'élevant vers l'esprit comme, par les dépôts successifs de sédiments, le fond de la mer monte vers le ciel. Et, de fait, lorsque nous voulons aller au fond d'une question, ne disons-nous pas que nous allons en mettre au jour les racines ? Et les racines de la technique nucléaire dont les applications, les branches, plongent au plus profond de la matière, de la terre, ne s'enfoncent-elles pas, avec la physique quantique, dans le plus pur ciel des idées ?

Arbre alchimique, manuscrit, 1788. La main de Dieu tient l'Arbre de la vie et de la création où les hommes peuvent choisir les fruits du Bien ou du Mal.

L'ARBRE DU TEMPS

Aux yeux de
l'homme qui en per-
çoit la croissance et les
cycles, l'arbre, dans la nature,
est manifestement lié à l'écoulement
du temps. Régulièrement les saisons
se succèdent et c'est à point nommé que les
arbres fruitiers fleurissent puis fructifient. C'est
à point nommé aussi que certains arbres perdent
puis retrouvent leur feuillage, là où d'autres, par quelque mystérieux privilège, le conservent indéfiniment.
Selon Jean-Paul Roux, « Cette dualité est bien illustrée par les traditions altaïques, dont certains mythes
associent le sapin à feuilles persistantes et le bouleau
à feuilles caduques dans deux représentations complémentaires du monde : cette perpétuelle mutation,
croissance et renaissance de l'arbre exprime bien le
processus alchimique de la vie elle-même. Son évolu-
tion rappelle le caractère cyclique des
rythmes cosmiques : mort et
renaissance pour les
arbres à feuille cadu-
que, immortalité
pour les arbres à
feuilles persistantes.
(...) « Sur le nombril
de la terre, au centre

*Miniature
persane, détail,
vers 1430.
La perfection de
l'arbre central
exprime
l'accomplissement
de l'amour.*

*Billard Adam,
Rudolf Hausner,
1976.
65x77,5 cm.*

de tout, pousse le plus grand de tous les arbres terrestres, un sapin gigantesque dont le sommet touche la demeure de Bai-Ulgän (le Dieu suprême), dit une fable, tandis qu'une autre affirme : au milieu de la terre est une montagne de fer, sur laquelle se dresse un bouleau blanc à sept branches et qu'un poème chante : sur douze des pays célestes, au sommet d'un mont, un bouleau jusqu'au fond de l'air »[36].

Le symbolisme en quelque sorte rituel de l'arbre dans ses rapports avec le temps nous suggère une *structure d'arbre du temps lui-même,* en relation avec les différents niveaux de conscience ou, si l'on préfère, d'initiation de l'homme. *Le temps mélodique* de celui qui, simplement, « passe le temps » au fil des heures est *horizontal :* il s'écoule simplement d'un passé vers un futur aux limites nébuleuses où il étend sa matière brute. De ce sol des instants successifs émerge alors le tronc de l'arbre du temps, *le temps rythmique,* temps *vertical,* déjà,

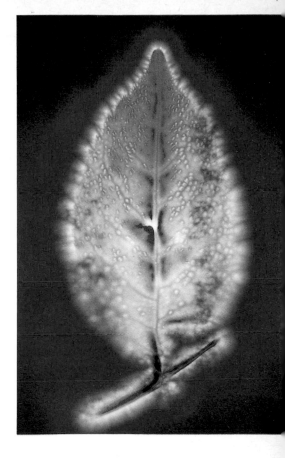

temps des saisons et des anniversaires où se superposent les cycles : mémoire des cycles passés, attente des cycles futurs dans un enracinement et une culmination où sont une fois de plus à l'œuvre les deux serpents du caducée. *Temps harmonique* enfin, intégrant tout rythme et toute mélodie possibles dans une pure verticalité. L'harmonie, en effet, verticalise la mélodie : l'accord plaqué au piano fait résonner ensemble et *simultanément* les notes de l'arpège. Ainsi, le temps harmonique est simultanéité présente et toujours présente de la totalité du temps mélodique, dont les degrés rythmiques apparaissent verticalement, comme autant d'ourlets, sur le tronc de l'arbre du temps.

Généralement, nous n'accédons qu'aux temps mélodique et rythmique : nous passons le temps tandis que les jours et les nuits, les saisons, les horaires, et aussi les commémorations nous assujettissent à la loi des deux serpents. Mais, et nous le perdons de vue, chacun de nous ne vit jamais qu'au présent et, de même que, ainsi que nous l'avons vu, il nous est toujours loisible de nous situer chacun au centre de son monde, de même il nous est possible de prendre conscience de cet *éternel présent* où nous vivons, et cette prise de conscience s'accompagne d'un choc extraordinaire, nous nous posons la question : où est hier ? où est demain ?

Aussi bien n'est-il pas étonnant que

91

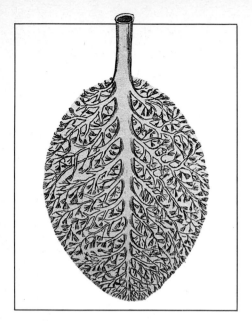

l'arbre soit de tous temps et en tout lieu symbole de l'initiation, que ce soit sous sa forme propre ou sous celle de la croix : toute verticale et toute horizontale qui se croisent forment au centre de la croix un point qui est l'éternel présent. L'initiation n'appartient plus au temps, elle concerne le nontemps, c'est-à-dire l'éternité. Et, rappelle Raymond Abellio, « l'éternité hors du temps ne peut être cernée par le discours, qui est forcément engagé dans le temps, d'où le secret et les mystères qui ne sont autres, en fin de compte, que l'impulsion donnée au néophyte afin que, pour les vivre, il cesse enfin de tenter de les concevoir ».

Les deux axes de la croix font encore penser à *l'écoulement* du temps, aux points cardinaux de l'espace, et quand la croix est enclose dans un cercle, comme la croix celtique, aux cycles de la manifestation. De même le centre est égal au point ultime du stûpa, lieu de passage et de communication symbolique entre le visible et l'invisible. Le même symbolisme se trouve encore en Egypte, où l'arbre est figuré par la *croix ansée*.

La conquête de l'éternité est analogique à celle de l'arbre centre du monde : c'est-à-dire à l'arbre de lumière qui s'oppose aux forces des ténèbres. Cette conquête de l'éternité ou, si l'on veut, de l'immortalité — qui est aussi conquête de la connaissance — est singulièrement illustrée par le récit de l'« illumination » du Bouddha. Odette Viennot nous rappelle que « le prince Siddhârtha, désireux d'échapper à la loi commune des renaissances, décide de quitter Kapilavastu, sa ville natale, et d'abandonner son destin de roi universel temporel pour celui de Bouddha auquel il se sait promis s'il embrasse la vie religieuse »[37]. Déçu par plusieurs années d'études et d'austérité auprès de divers maîtres, puis par un jeûne rigoureux auquel il s'est soumis, le prince parvient au village d'Uruvela où, après de multiples

Peinture murale thaïlandaise évoquant le miracle de Bouddha à Savatthi où il apparaît simultanément sous un arbre et se promenant.

Page ci-contre, gauche : Structure ramifiée d'un poumon, dessin du XVIIᵉ s. Publié in Dr Collin's Anatomy.

Page ci-contre, droite : Arbre de vie, sculpture, Persepolis (515-418 av. J.-C.).

Djed, ou colonne vertébrale d'Osiris supportant la croix ansée, symbole de la vie éternelle. Ses deux bras élèvent le disque solaire (d'après un papyrus).

épreuves et une minutieuse préparation, il se rend digne de tenter la conquête de l'arbre, dont Mâra, le mauvais, va chercher à l'écarter par tous les moyens. Cependant « le Bodhisattva est donc parvenu à s'asseoir au pied de l'arbre, sur le trône d'herbes *kuça,* la face tournée vers l'Est ; mais ceci n'est qu'une première étape vers la possession de l'arbre, symbole de la Connaissance. Il va lui falloir le conquérir sur les forces mauvaises comme jadis les dieux par leur victoire sur les Asura emportèrent l'arbre *açvattha,* apanage du paradis, tandis que les démons, vaincus, trouvaient en enfer

l'arbre épineux. (...) Si cet arbre est tant convoité par les uns et les autres, c'est qu'il représente le centre mystique du monde, son nombril, comme dit le *Bouddhacarita.* Il se tient en étroite correspondance avec l'arbre céleste, que ce soit l'*açvattha* védique ou le *pârijâta* bouddhique à l'ombre duquel siègent les dieux. Sa conquête assurera au vainqueur la jouissance de l'*amrta* ou du *soma,* liqueur d'immortalité, ici symbole de la Connaissance qui délivre des renaissances »[38]. On le voit, il s'agit de s'affranchir non seulement du temps horizontal, de la mélodie, mais aussi du temps rythmique, du cycle des renaissances, pour parvenir, dans la pure verticalité, à l'immortalité, c'est-à-dire à la vie hors du temps.

« Mon Présent vivant et se mouvant », écrit Edmond Hussel, « mon Présent dans son mode originaire porte en soi tout être concevable ; il est la "temporalité" originairement temporelle, supratemporelle qui porte en elle tout temps, comme un ordre temporel fixe

et tout contenu dans le temps (...). Sans ce Présent Vivant rien n'aurait d'existence, ni les autres « moi » impliqués en lui, ni le monde, avec la naissance de l'homme et la mort de l'homme dans le monde »[39].

L'Arbre du temps, qui est le pur *Je suis* par lequel Dieu se nomme lui-même à Moïse, intègre tout arbre, et il est aussi l'Arbre des séphiroth, enraciné aussi bien en haut qu'en bas, suspendu à lui-même et enraciné en lui-même.

Ci-dessus : Paon goûtant aux fruits de l'Arbre de vie, mosaïque, art roman chrétien, IVᵉ s. Musée du Bardo, Tunis.

Arbre de la Bodhi (détail) à Sukkothai, Thaïlande.

Double page suivante : Jardin japonais, Palais impérial, Kyoto.

L'ARBRE, L'ALCHIMIE
ET L'IMMORTALITÉ

L'art alchimique a traditionnellement pour fin l'obtention de deux « produits » essentiels : la pierre philosophale, dont la vertu est de changer les métaux en or, et l'élixir de vie, dispensateur d'immortalité. L'un et l'autre de ces « produits » répondent respectivement aux deux aspects fondamentaux de l'alchimie : minéral et végétal, ce dernier étant évidemment lié au symbolisme de l'Arbre de Vie. René Guénon, à cet égard, note que par rapport à ce symbolisme, la seule différence est que dans l'Eden « l'immortalité

est donnée, non par une liqueur tirée de l'Arbre de Vie, mais par son fruit même, (qui est encore) un produit de l'arbre ou de la plante et un produit dans lequel se trouve concentrée la sève qui est en quelque sorte l'essence même du végétal ». Et il remarque immédiatement après que « de tout le symbolisme végétal du Paradis terrestre, l'Arbre de Vie seul subsiste avec ce caractère dans la description de la Jérusalem céleste, alors que tout le reste du symbolisme y est minéral »[40].

Cette correspondance entre l'arbre et l'al-

Page ci-contre :
Mosaïques du
Palais de Topkapi,
Istanbul.
Sept cyprès et
douze rameaux,
c'est-à-dire
l'achèvement de la
création et son
sens infini.

Arbre de vie,
théâtre Wayang,
Malaisie.

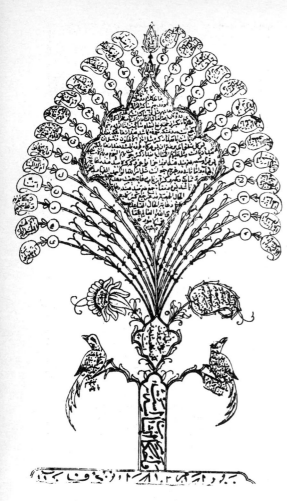

*A*rbre de la Sagesse, *manuscrit alchimique persan.*

chimie n'est nullement propre à la tradition judéo-chrétienne, et il est question, par exemple, dans les Avesta, textes sacrés de l'ancienne religion iranienne, de l'arbre *Haoma,* qui est un arbre de vie dont on extrait une liqueur, un « breuvage d'immortalité » analogue au *soma* védique. Dans la plupart des traditions, d'ailleurs, l'existence d'arbres à feuillage persistant, dont on extrait généralement des résines et des gommes incorruptibles, a suggéré leur association symbolique à l'immortalité, ce dont, notamment, le taoisme a tiré une doctrine alchimique très rigoureuse.

Dans sa préface au livre d'Armand Barbault[(41)], Raymond Abellio évoque de façon saisissante le monde de l'alchimie : « C'est le monde d'un perpétuel matin fait de soleil levant, de rosées et de sèves, et où l'on ne touche le moindre brin d'herbe qu'avec un respect religieux. C'est aussi le monde des forces obscures de la terre et du ciel, accordées en une inquiétante gésine, et qui deviennent presque palpables et familières, tantôt alliées, tantôt hostiles, et desquelles l'homme semble attendre quelque sacrement inconnu. Vient enfin le millième matin où l'âme de l'or se délivre ». Ces « forces obscures de la terre et du ciel », mises en œuvre ensemble par l'alchimiste pour autant que, par exemple, le prélèvement dans la terre de la *matière première* exige des conditions astrologiques proprement draconiennes, évoquent irrésistiblement la montée de la sève dans l'arbre où se conjuguent dynamiquement, génétiquement même devrions-nous dire, les profondeurs et les hauteurs de l'homme et du monde. En méditant alors sur ces profondeurs et ces hauteurs, qui sont entre elles comme la multiplicité et l'unité, on saisit le sens effectif du précepte fondamental de l'Œuvre : *solve et coagula,* dissoudre et coaguler, ramifier à l'infini les racines et retrouver l'unité des innombrables branches dans leur tronc commun, le tronc de l'arbre.

On retrouve d'ailleurs là le principe même se trouvant à la base de cet invariant universel qu'Abellio a nommé « structure absolue », qui décrit en fin de compte la genèse permanente de la verticalité dans la confrontation perpétuelle de ces pôles à la fois opposés et complémentaires que sont, en bas, celui de la multiplicité matérielle et, en haut, celui de l'unité spirituelle. Cette genèse s'effectue par la double rotation de quatre pôles horizontaux, c'est-à-dire de

*A*rbre alchimique, Christian Rosencreutz. Illustration des Noces Chimiques, Strasbourg, 1616.

101

Caducée.

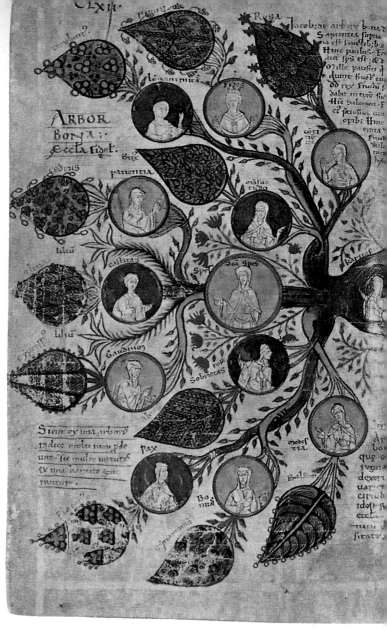

deux couples mis en croix, en sorte que le produit de ces rotations, la verticale, s'effectue par la fondation et l'élévation de la croix, dont on sait qu'elle constitue une forme particu-

lière du symbolisme de l'arbre, comme en témoignent d'assez nombreuses représentations du Christ crucifié sur un arbre. Ce qui est intéressant ici, c'est de noter que ces pola-

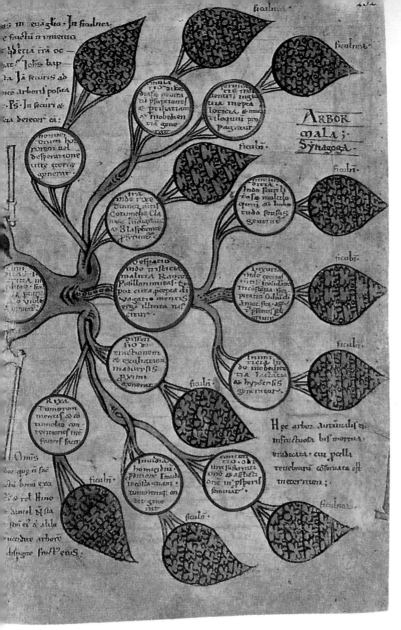

L'arbre du Bien et du Mal, <u>Liber floridus</u> *Saint Omer, XIIᵉ s. Les deux arbres s'opposent par leurs racines. A gauche (le bien), feuilles merveilleuses, à droite, elles sont toutes identiques).*

rités, au nombre de six, correspondent aux six opérations du processus de transformation alchimique. Horizontalement, en effet, sont « mis en croix » les deux couples polaires de la *calcination* (œuvre au noir) et de la *putréfaction* d'une part, de la *solution* (œuvre au blanc) et de la *distillation* d'autre part, qui, verticalement, produisent, en bas la *conjonction,* l'union

103

des contraires (œuvre au rouge). et en haut, enfin, la *sublimation* par laquelle est obtenu l'or, la lumière solaire. La double rotation horizontale, dans le mouvement vertical qui en résulte, peut être assimilée à la double hélice traditionnelle dans laquelle est emprisonné le tronc de l'arbre, ou encore aux deux serpents du caducée qui, dans leur ascension progressive, opèrent à chaque tour un *solve et coagula* pour ainsi dire « partiel » : l'un, descendant, de la calcination à la putréfaction où l'homogénéisation de la matière par destruction des différences aboutit à la totale dissolution des éléments calcinés ; l'autre, ascendant, de la solution à la distillation, où la matière totalement purifiée se voit transmuée en son « esprit », au sens alchimique du terme. Le résultat final est alors l'enracinement dans une terre libérée de tout antagonisme et la culmination vers la lumière. Ici, on le voit, le symbolisme de l'arbre est partout présent.

Mais qu'est-ce que l'immortalité dont l'alchimiste, l'Adepte, recherche le

*Tympan du portail dit « de la vie »,
Benedetto Antelami (1196-1216),
baptistère de Parme, Italie.*

breuvage ? Les arbres persistants en donnent à première vue l'idée selon laquelle il s'agirait d'une vie perpétuelle, d'une naissance n'impliquant pas la mort ; et les arbres caducs, par leurs cycles saisonniers, suggèrent évidemment de leur côté des cycles humains de morts et de renaissances successives, de réincarnations. Mais, à bien y regarder, les premiers ne donnent-ils pas plutôt l'idée de permanence, d'une *présence* non pas perpétuelle mais éternelle, c'est-à-dire hors du temps ? Il est alors une alchimie singulière, où l'élixir n'est que l'image de l'absorption, par l'homme convenablement préparé, de la liqueur d'un temps sans commencement ni fin, s'écoulant dans un présent permanent, éternel, hors du temps, dans un

*A*rbre de vie, emblème du Gyalwa Karmapa, Thibet.

présent qui, paradoxe des paradoxes, ne reste le même qu'en devenant toujours autre dans une éternelle nouveauté, une éternelle adolescence. L'accès à ce présent-là exige le basculement du temps, sa verticalisation. C'est dès lors un arbre enraciné dans un passé encore là, culminant dans un futur déjà là, et dont le temps ordinaire, celui des horloges, mais calciné, putrifié, dissous, enfin distillé, devient la sève, le breuvage de l'authentique immortalité. « D'après mon mode de naissance éternelle, dit Maître Eckhart, j'ai été éternellement, je suis maintenant et je demeurerai éternellement ».

*Page ci-contre :
Arbre de vie,
musée national de
Bangkok,
Thaïlande.*

*Théâtre Nô :
arbre de vie.*

106

NOTES

1. Genèse I, 29.

2. Genèse III, 22.

3. Apocalypse II, 7.

4. Maitreyi Up. VI, 7.

5. Jean-Paul Roux, *Faune et flore sacrées dans les sociétés altaïques,* A. Maisonneuve, 1966.

6. Isaïe XI, 1-2.

7. *Le Zohar,* trad. de Ch. Mopsik, Ed. Verdier.

8. Proverbes VIII, 30.

9. Proverbes III, 19.

10. Genèse II, 10.

11. Job XXVI, 11.

12. *Ibid.*

13. Odette Viennot, *Le Culte de l'arbre dans l'Inde ancienne,* Annales du musée Guimet, P.U.F., 1954.

14. *Ibid.*

15. *Ibid.*

16. Jean Chevalier et Alain Gheerbrant, *Dictionnaire des Symboles,* Seghers, 1969.

17. Jean-Paul Roux, *op. cit.*

18. *Op. cit.*

19. *Op. cit.*

20. *Op. cit.*

21. *Op. cit.*

22. Mircea Eliade, p. 254.

23. Jean Chevalier et Alain Gheerbrant, *op. cit.*

24. Raymond Abellio, *La Structure absolue,* Gallimard.

25. Genèse II, 9.

26. *Le Zohar, op. cit.*

27. Genèse III, 20.

28. Roger Cook, *Arbre de vie, image du cosmos,* Ed. du Seuil.

29. *Ibid.*

30. Paul Vulliaud, *La Kabbale juive,* Ed. Emile Nourry, 1923.

31. Jean de Pauly, *Sepher ha-zohar,* Maisonneuve et Larose.

32. Job XXVI, 7.

33. Purgatoire, XXII-XXV.

34. Gilbert Durand, *Les structures anthropologiques de l'imaginaire,* Bordas.

35. René Guénon, *Symboles fondamentaux de la Science sacrée,* Gallimard.

36. Jean-Paul Roux, *op. cit.*

37. *Op. cit.*

38. *Ibid.*

39. Inédits cités par Tran Duc Thao, *Phénoménologie et matérialisme dialectique,* Ed. Minh-Tan.

40. *Op. cit.*

41. Raymond Abellio dans sa préface au livre d'Armand Barbault, *L'Or du millième matin,* Ed. Publications Premières, J.-C. Lattès.

Arbre aux oiseaux, miniature persane (détail), XIXe s. Ecole d'Ispahan.

Dans la même collection

LE LOTUS, *Louis Frédéric*

L'OEUF, *Constantin Amariu*

LE DRAGON, *Daniel Beresniak*

Maquette
David Lee Fong

Nova Zincografica Fiorentina